EXAMENS PARACLINIQUES

Cahier de mises en situation

JOSÉE COURCHESNE
Inf., B.Sc., enseignante en soins infirmiers
Collège de Bois-de-Boulogne

SOPHIE DESFOSSÉS
Inf., B.Sc., et M. en gestion, enseignante en soins infirmiers
Collège de Bois-de-Boulogne

MARGARETH FRAGÉ
Inf., B.Sc., et DES en pédagogie collégiale, enseignante en soins infirmiers
Collège de Bois-de-Boulogne

MARIE-ÈVE GRONDIN
Inf., B.Sc., enseignante en soins infirmiers
Collège de Bois-de-Boulogne

KARINE HÉBERT
Inf., B.Sc., enseignante en soins infirmiers
Collège de Bois-de-Boulogne

LYNE LEBLOND
Inf., B.Sc., enseignante en soins infirmiers
Collège de Bois-de-Boulogne

FRANCE OUELLET
Inf., B.Sc., enseignante en soins infirmiers
Collège de Bois-de-Boulogne

CAROL POULOS
Inf., B.Sc., enseignante en soins infirmiers
Collège de Bois-de-Boulogne

ÉDITH ROY
Inf., B.Sc., enseignante en soins infirmiers
Collège de Bois-de-Boulogne

Examens paracliniques
Cahier de mises en situation

Josée Courchesne, Sophie Desfossés, Margareth Fragé, Marie-Ève Grondin, Karine Hébert, Lyne Leblond, France Ouellet, Carol Poulos, Édith Roy

Conception éditoriale : Sophie Gagnon
Édition : Guillaume Proulx
Coordination : Jean Boilard
Révision linguistique : Chantale Bordeleau (Révisart, services linguistiques)
Correction d'épreuves : Caroline Bouffard
Conception graphique: Josée Bégin
Illustration: Jean-Claude Aumais
Conception de la couverture : Anne Vaugeois (Tatou communication visuelle)

Catalogage avant publication de Bibliothèque et Archives nationales du Québec et Bibliothèque et Archives Canada

Vedette principale au titre :

Examens paracliniques. Cahier de mises en situation

Pour les étudiants du niveau collégial.

ISBN 978-2-7650-2603-7

1. Diagnostics biologiques – Cas, Études de. 2. Diagnostics biologiques – Problèmes et exercices. I. Courchesne, Josée. II. Wilson, Denise D. Examens paracliniques.

RB38.2.W5414 2010 Suppl. 616.07'5 C2010-940749-0

5800, rue Saint-Denis, bureau 900
Montréal (Québec) H2S 3L5 Canada
Téléphone : 514 273-1066
Télécopieur : 514 276-0324 ou 1 800 814-0324
info@cheneliere.ca

ISBN 978-2-7650-2603-7

Dépôt légal : 2e trimestre 2010
Bibliothèque et Archives nationales du Québec
Bibliothèque et Archives Canada

Imprimé au Canada

3 4 5 6 7 M 17 16 15 14 13

Nous reconnaissons l'aide financière du gouvernement du Canada par l'entremise du Fonds du livre du Canada (FLC) pour nos activités d'édition.

Gouvernement du Québec – Programme de crédit d'impôt pour l'édition de livres – Gestion SODEC.

Sources iconographiques
Couverture : TEK IMAGE/SCIENCE PHOTO LIBRARY ; Alexander Raths/iStockphoto ; Christopher Pattberg/iStockphoto ; **p. 7 :** Shironina/Shutterstock ; **p. 39 :** © Rosemarie Gearhart/iStockphoto ; **p. 53 :** Andrejs Pidjass/Shutterstock.

Notice

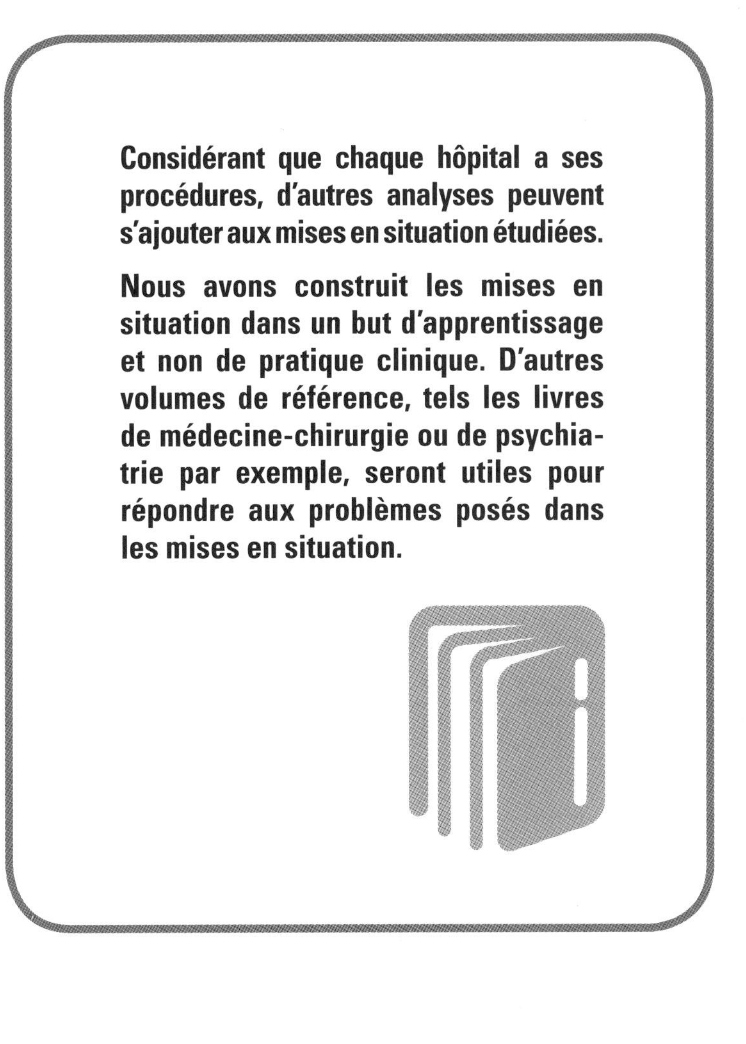

Considérant que chaque hôpital a ses procédures, d'autres analyses peuvent s'ajouter aux mises en situation étudiées.

Nous avons construit les mises en situation dans un but d'apprentissage et non de pratique clinique. D'autres volumes de référence, tels les livres de médecine-chirurgie ou de psychiatrie par exemple, seront utiles pour répondre aux problèmes posés dans les mises en situation.

Remerciements

Merci à Josée Courchesne pour avoir tenu les rênes du projet auprès des collaboratrices. Son enthousiasme contagieux nous a contaminées !

L'équipe de rédactrices

À l'origine de ce projet entièrement québécois se trouve une équipe extraordinaire d'infirmières, brillamment chapeautée par Josée Courchesne. Vous savez transmettre non seulement la passion de l'enseignement d'un métier, mais aussi de grandes compétences de recherche scientifique dans vos champs de spécialisation respectifs. Chenelière Éducation aimerait vous remercier de rendre si vivante la discipline des soins infirmiers.

L'édition

Table des matières

MÉDECINE-CHIRURGIE

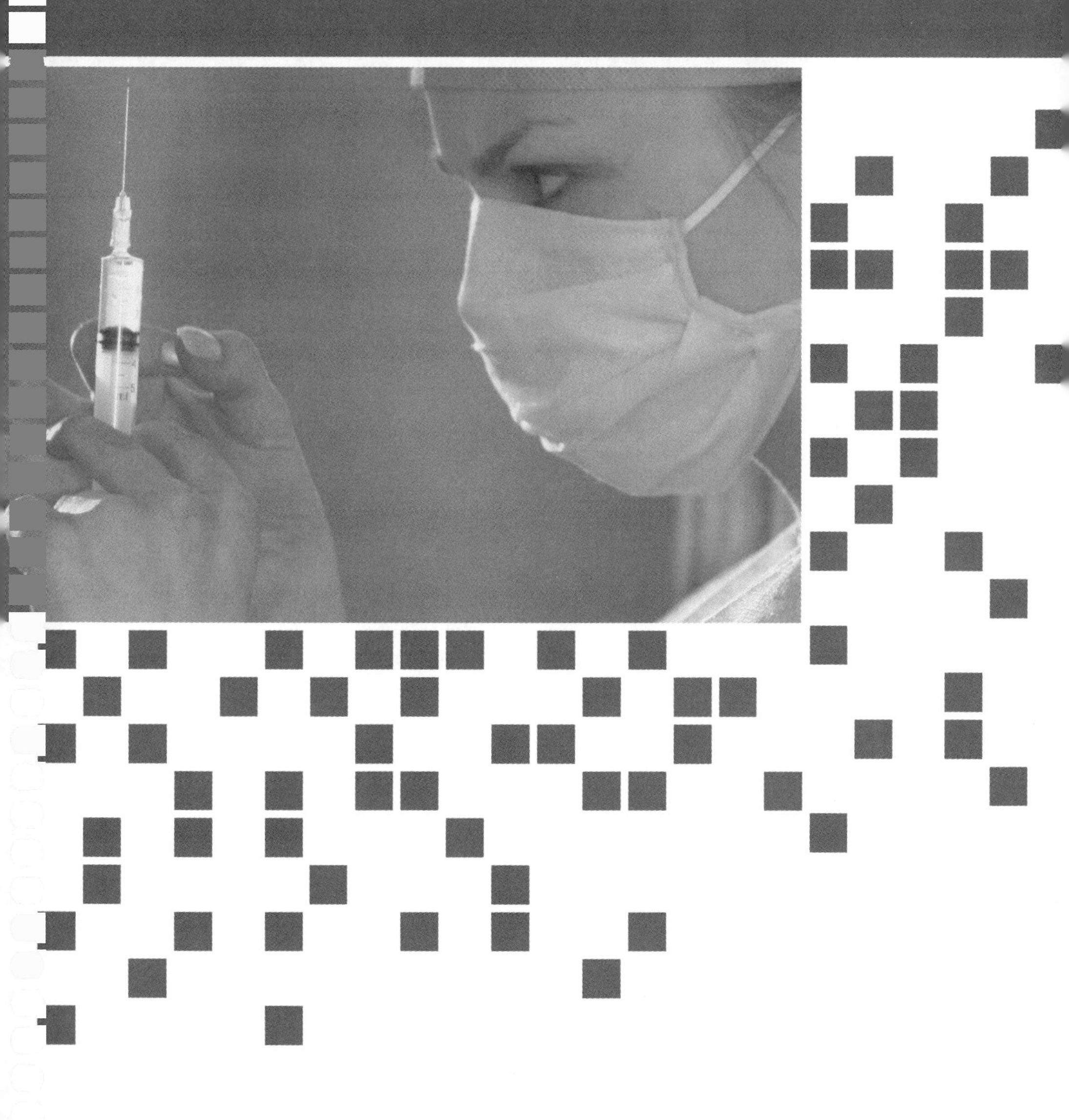

Médecine-chirurgie, niveau 1

Situation 1

Mme Plourde présente une thrombophlébite du membre inférieur droit à la suite d'une arthroplastie* de la hanche droite. Elle ne reçoit plus d'héparine par voie intraveineuse (I.V.). Elle prend actuellement du Coumadin (warfarine sodique) par voie orale (P.O.). Mme Plourde doit subir une ponction veineuse régulièrement afin d'ajuster son dosage de Coumadin.

Voici le résultat de son dernier rapport international normalisé (RIN)** :

- RIN : 2,5 (normale : 1,0 ± 0,1)

*Arthroplastie : Réfection chirurgicale d'une articulation avec ou sans implantation d'une prothèse.

** On utilise indifféremment RIN ou RNI (rapport normalisé international).

Interprétez le résultat de Mme Plourde. Est-ce thérapeutique ?

___

___

___

Quel est le risque pour Mme Plourde si le résultat de son RIN est trop élevé ?

___

Quel est le risque pour Mme Plourde si le résultat de son RIN est trop bas ?

___

La vitamine K intervient dans le processus de coagulation. Pendant la prise de son anticoagulant P.O., Mme Plourde devrait-elle augmenter ou réduire la consommation de cette vitamine ?

___

Dans quels aliments trouve-t-on le plus cette vitamine ? Nommez-en cinq (5).

___

___

Situation 2

Mme Trahan, 72 ans, consulte son médecin, car elle ressent une grande fatigue. De plus, elle dit avoir perdu du poids et se plaint d'une raideur généralisée. Elle a passé divers tests dont voici les résultats :

- Facteur rhumatoïde supérieur à 80 U/ml
- Analyse du liquide synovial : trouble et laiteux
- Hb : 100 g/L (normale : 120 à 160 g/L)
- Ht : 25 % (normale : 37 à 48 %)

À la suite de ces résultats, son médecin pose le diagnostic suivant : polyarthrite rhumatoïde.

Quelle autre analyse son médecin aurait-il pu demander afin de confirmer le diagnostic ? Justifiez votre réponse.

Situation 3

M. Soucy, 47 ans, est hébergé en centre d'accueil pour une sclérose en plaques. Son indice de masse corporelle (IMC) est de 17. Il est très fatigué. Son teint est très pâle et son état ne cesse de se détériorer.

Quelles analyses devrait-on vérifier chez M. Soucy et pour quelles raisons ?

Situation 4

M. Prodan, 45 ans, consulte son médecin, car lors de son entraînement, il s'est senti plus essoufflé qu'à l'habitude et il a ressenti une douleur thoracique. Selon lui, il n'a aucun antécédent cardiaque ni pulmonaire. À l'examen physique, vous remarquez une grande pâleur.

Voici les résultats de laboratoire :

- Radiographie pulmonaire : aucune anomalie
- Numération des globules rouges (GR) : $2,1 \times 10^{12}$/L (normale : 4,7 à $6,1 \times 10^{12}$/L)
- Hb : 94 g/L (normale : 130 à 180 g/L)
- Ht : 30 % (normale : 42 à 52 %)
- Numération des globules blancs (GB) : $7,0 \times 10^{9}$/L (normale : 4,5 à $10,5 \times 10^{9}$/L)
- Numération des plaquettes : dans les limites de la normale (140 à 500×10^{9}/L)

Que dire du résultat des globules rouges (GR) ?

Quel est le rôle de l'hémoglobine (Hb) et quel est le lien à faire avec la condition de M. Prodan ?

Pourquoi l'analyse des plaquettes a-t-elle été demandée dans le cas de M. Prodan ?

Quel terme est utilisé pour décrire un taux de plaquettes élevé et quel est le risque chez le client ?

Quel terme est utilisé pour décrire un taux de plaquettes bas et quel est le risque chez le client ?

Pourquoi l'hématocrite accompagne-t-il toujours l'hémoglobine ?

Situation 5

Mme Laverdure consulte son médecin, car depuis quelques jours, elle souffre de pollakiurie et d'hématurie. Sa température buccale s'élève à 38 °C. Dr Léveillé lui a prescrit une analyse et une culture d'urine.

Mme Laverdure vous demande la différence entre une analyse et une culture d'urine. Expliquez-lui les buts recherchés par ces deux analyses.

Analyse d'urine :	**Culture d'urine :**

Dr Léveillé lui a demandé de faire ces analyses par prélèvement mi-jet. Elle ne sait pas ce que cela veut dire. Expliquez-lui la procédure à suivre.

Comment peut-on prélever un spécimen stérile chez un client porteur d'un cathéter ?

Situation 6

M. Lafond souffre d'hypertension, et le médecin soupçonne une maladie des glandes surrénales. Il lui a prescrit une récolte des urines de 24 heures.

M. Lafond veut savoir pourquoi il doit réduire les exercices, cesser ses médicaments antihypertenseurs et suivre un régime alimentaire ne comprenant pas de café, de thé, de banane, de chocolat, de réglisse et d'agrumes, et ce, deux ou trois jours avant son examen. Expliquez-lui les raisons.

M. Lafond vous demande la raison pour laquelle il faut absolument récolter ses urines sur une période de 24 heures et pourquoi il ne fait pas tout simplement une analyse d'urine de routine. Expliquez-lui la raison.

Expliquez à M. Lafond la procédure pour récolter ses urines de 24 heures.

Situation 7

Mme Petitclerc, 52 ans, a été opérée il y a trois jours pour une hystérectomie*. Elle se plaint de douleurs abdominales qui s'intensifient depuis ce matin.

Vous prenez ses signes vitaux :

- P.A. : 154/76 mm Hg
- P : 112 batt./min régulier
- R : 28/min régulière
- T°.B. : 38,5 °C

* Hystérectomie : Ablation de l'utérus.

Que vous révèlent les résultats des signes vitaux ? Faites quatre (4) liens.

Vous prélevez des analyses sanguines, dont une formule sanguine complète (FSC). Quel élément de la FSC risque d'être perturbé et pourquoi ?

Mme Jarjour a aussi été opérée pour une hystérectomie. Ses signes vitaux sont les suivants :

- P.A. : 92/50 mm Hg
- P : 112 batt./min
- R : 32/min superficielle
- T°.B. : 37 °C

Vous prélevez des analyses sanguines, dont une FSC. Quel élément de la FSC risque d'être perturbé et pourquoi ?

Situation 8

M. Labelle se rend au groupe de médecine familiale (GMF) de sa région, car depuis une semaine, il présente une toux productive persistante. Ses expectorations sont verdâtres. Le médecin lui prescrit une culture des expectorations.

Vous lui apportez un pot de culture. M. Labelle veut savoir à quoi sert ce prélèvement. Quelle sera votre réponse ?

Qu'est-ce qui pourrait fausser les résultats de cette analyse ?

Quel est le meilleur moment pour récolter les échantillons d'expectorations ? Justifiez votre réponse.

Expliquez à M. Labelle la procédure à suivre pour la récolte des expectorations.

M. Labelle a effectué son prélèvement. L'infirmière le laisse sur le comptoir et dit au préposé d'aller le porter au laboratoire lorsqu'il en aura le temps. Qu'en pensez-vous ?

Situation 9

Mme Sawyer, 77 ans, a un indice de masse corporelle (IMC) de 32. Elle se présente à l'urgence pour une douleur à la poitrine. À la suite de l'évaluation de l'infirmière, la cliente lui dit qu'elle est diabétique, qu'elle souffre d'arthrite depuis 15 ans et qu'elle a des problèmes avec ses reins. De plus, elle mentionne à l'infirmière qu'elle a des brûlements lorsqu'elle urine.

Les signes vitaux sont les suivants :

- P.A. : 156/90 mm Hg
- P : 88 batt./min
- R : 20/min
- T°.B. : 38,3 °C

Mme Sawyer est placée en observation. Le résultat des analyses de laboratoire indique qu'elle fait de l'anémie et qu'elle est en début d'infarctus du myocarde.

Quelles épreuves diagnostiques seront demandées par rapport à tous les problèmes de Mme Sawyer ?

1. Obésité	
2. Diabète	
3. Arthrite	
4. Problèmes rénaux	

5. Brûlements mictionnels	
6. T°.B. (38,3 °C)	
7. Anémie	
8. Début d'infarctus	
9. Hypertension artérielle (HTA)	

Rapidement, Mme Sawyer est traitée pour son infarctus et elle est placée sous héparine par voie intraveineuse (I.V.).

Afin de s'assurer d'un dosage adéquat de l'héparine I.V., quelle analyse sanguine sera demandée et pourquoi ?

___

Situation 10

Mme Laverdure, 87 ans, a un indice de masse corporelle (IMC) de 18 et elle a une plaie au siège de 3 cm sur 4 cm. Sa plaie dégage une odeur fétide et présente un écoulement purulent. Sa température buccale s'élève à 38,3 °C.

Dans cette situation, quelle analyse l'infirmière peut-elle décider de faire de façon autonome ?

___

Quel est le but recherché par cette analyse ?

___

Quelles sont les précautions à prendre avant de faire cette analyse ?

___

___

Quelle est la manière de procéder pour effectuer cette analyse ?

Situation 11

M. Vadeboncœur se plaint d'hémianopsie durant environ une à deux minutes. Inquiet, il se présente chez son médecin. Celui-ci décide de lui faire passer un scan cérébral.

Quels sont les résultats recherchés chez M. Vadeboncœur ?

Situation 12

Mme Labonté, 69 ans, est admise dans votre unité, car elle a été trouvée dans le coma par sa fille à la suite d'une intoxication alimentaire. De plus, elle présente une plaie au siège avec présence de nécrose qui dégage une odeur fétide et qui lui occasionne de la douleur. Elle souffre aussi d'hypertension artérielle et de diabète de type 2.

Ses prescriptions et les analyses suivantes figurent au dossier :

• P.A. : 164/96 mm Hg • P : 92 batt./min • R : 32/min • T°.B. : 38,6 °C • SaO_2 : 95 % AA (air ambiant)	• Empracet 30 mg aux 4 à 6 heures au besoin (PRN) (analgésique opiacé) • Entrophen 325 mg die (antiplaquettaire) • Diabeta 5 mg b.i.d. (hypoglycémiant) • Lopresor 50 mg b.i.d. (antiangineux, antihypertenseur) • NaCl 0,9 % à 80 ml/h • Glycémie capillaire avant les repas (a.c.) et au coucher (h.s.)

• Hb : 96 g/L • Ht : 40 % • Albumine : 12 g/L	B* B B	• Vitesse de sédimentation : 24 mm/h • Urée : 10 mmol/L • Créatinine : 155 mmol/L • Glycémie : 13 mmol/L	H** H H H

* B : Valeur basse.

** H : Valeur haute.

Relevez deux (2) données parmi les prescriptions et les analyses ci-dessus qui vous confirment la présence d'une infection.

La plaie de Mme Labonté tarde à guérir.

Quelles analyses sanguines vont influencer le processus de cicatrisation de sa plaie ? Nommez-en trois (3) et justifiez votre réponse.

Deux jours plus tard, le préposé vous avise que Mme Labonté se dit fatiguée et qu'elle présente des tremblements. Elle se plaint aussi de céphalées.

Quelle analyse allez-vous vérifier et pourquoi ?

Situation 13

Mme Nguyen, 65 ans, vient de subir une chirurgie à la suite d'une fracture de la hanche. À 7 h 30, lors du rapport de l'infirmière, cette dernière vous dit qu'il reste 900 ml dans son soluté D5 % NaCl 0,45 % + KCl 40 mEq qui perfuse à 125 ml/h. Vers 8 h, lors de votre visite auprès de la cliente, elle dit ressentir des palpitations et des nausées. Vous constatez qu'il reste 100 ml dans le sac de soluté.

À la suite des manifestations éprouvées par Mme Nguyen, quelle analyse sanguine devra être surveillée de près ? Justifiez votre réponse.

____

____

Situation 14

Mme Basmadjian souffre d'un ulcère gastrique. Le médecin lui a prescrit un repas baryté et, à la suite de cet examen, il lui recommande de prendre du Métamucil (laxatif).

Mme Basmadjian veut savoir pourquoi elle doit prendre ce médicament après son examen. Qu'allez-vous lui répondre ?

____

____

Deux jours après son repas baryté, elle appelle l'infirmière d'Info-Santé et lui demande pourquoi ses selles sont beiges.

Quelle sera la réponse de l'infirmière ?

____

____

Médecine-chirurgie, niveau 2

Situation 1

Mme Gagnon, souffrant d'un problème de fibrillation auriculaire (FA), est hospitalisée pour une thrombophlébite. Elle est actuellement sous perfusion d'héparine I.V. Elle a subi de nombreux tests dont voici quelques résultats :

- Numération des plaquettes : 200×10^9/L (normale : 140 à 500×10^9/L)
- Temps de céphaline activé (TCA) : 70 sec. (normale : 25 à 35 sec.)
- Temps de prothrombine (PT) : 11,5 sec. (normale : sec.) 10 à 13 sec.

Interprétez les résultats des tests de laboratoire de Mme Gagnon.

Quelques jours plus tard, vous apportez à Mme Gagnon un comprimé de Coumadin 5 mg, selon l'ordonnance médicale.

Comme le Coumadin et l'héparine n'ont pas d'effets additifs et qu'ils n'agissent pas sur les mêmes facteurs de coagulation, quelle sera l'analyse sanguine qui permettra d'ajuster la posologie du Coumadin et à quelle fréquence cette analyse devra-t-elle être faite ?

Combien de jours faut-il compter avant d'obtenir une concentration thérapeutique de Coumadin dans le sang ?

Situation 2

M. Parent se présente à l'urgence, car depuis quelques jours, il se sent plus fatigué qu'à l'habitude, se dit plus essoufflé et souffre de céphalées. Il est hypertendu depuis plusieurs années et son médecin a de la difficulté à contrôler son hypertension. Il vous mentionne qu'il vient de changer sa médication.

Ses prescriptions sont les suivantes :

- Spironolactone (Aldactone) 150 mg die
- Ramipril (Altace) 2,5 mg die

Quelles sont les analyses sanguines à vérifier dans cette situation ? Nommez-en trois (3) et justifiez votre réponse.

Situation 3

M. Rocheleau se présente en consultation externe pour y subir une hyperglycémie provoquée. Son médecin de famille lui a prescrit ce test à la suite des résultats de glycémie obtenus la semaine précédente. M. Rocheleau ne présente aucun autre problème de santé.

Que vérifie-t-on auprès de M. Rocheleau avec une hyperglycémie provoquée ?

Quel enseignement devrez-vous faire à M. Rocheleau en lien avec cet examen ?

Situation 4

M. Lapointe se plaint de douleurs abdominales depuis quelques jours. Il souffre aussi d'insuffisance rénale chronique depuis quelques années. Son médecin lui prescrit une tomodensitométrie avec produit de contraste afin de trouver la cause de ses malaises. Les antécédents du client laissent croire à une diverticulite perforée.

Pourquoi le médecin a-t-il choisi la tomodensitométrie plutôt que la colonoscopie ou encore le lavement baryté ?

M. Lapointe se dit inquiet, car il ne connaît pas le nom de cet examen.

Quel autre nom donne-t-on à cet examen ?

Quelle information importante devrez-vous demander à votre client avant de le préparer à cet examen ?

Nommez deux (2) analyses sanguines qu'il vous faudra surveiller à la suite de l'examen de M. Lapointe. Expliquez en quoi la situation de ce client est particulière.

Situation 5

Mme Wambui, âgée de 19 ans, arrive tout juste de son pays, le Rwanda. Elle se présente à la clinique pour recevoir un test de Mantoux (PPD, c'est-à-dire un test ou une épreuve cutanée à la tuberculine) qui est demandé dans le cadre de ses études en soins infirmiers. Un peu inquiète, elle vous demande certaines informations.

En quoi consiste ce test à la tuberculine (PPD) ?

On a parlé à Mme Wambui des modalités entourant la lecture du test. Pouvez-vous lui donner plus d'informations à ce sujet ?

Y a-t-il des précautions à prendre ?

À la suite de son PPD, Mme Wambui a l'avant-bras induré d'au moins 10 mm au site de l'injection. Que signifie cette lecture ?

S'il n'y avait eu aucune réaction au site de l'injection à la suite du test de PPD, qu'aurait-il fallu faire ?

Situation 6

Mme Fortin, âgée de 60 ans, se présente à l'urgence parce que depuis quelques mois, elle ressent une fatigue inhabituelle. Elle a pris 8 kg dans les deux derniers mois malgré le fait qu'elle n'ait rien modifié à ses habitudes alimentaires. Elle se plaint de perdre ses cheveux et dit avoir la voix souvent enrouée. À la suite de l'examen physique, le médecin souhaite procéder à certains examens de laboratoire.

On trouve sur la feuille d'ordonnance :

- Bilan de base
- Bilan abdominal
- Cholestérol
- Lacticodéshydrogénase (LDH)
- Albumine, protéines, TSH*, T_3**, T_4***, T_4 libre, B_{12}, Ca^+, Mg^+

* TSH : Thyréostimuline ou hormone thyréostimulante ou thyrotropine.

** T_3 : Triiodothyronine.

*** T_4 : Tétra-iodothyronine ou thyroxine.

Quelle est la différence entre le dosage de la T_4 et de la T_4 libre ?

____

____

____

Si on vous dit que les résultats de la T_3, T_4 et T_4 libre de Mme Fortin sont diminués, selon vous, comment le taux de TSH devrait-il être ? Justifiez votre réponse.

____

____

À la suite des données et des analyses sanguines qui ont été faites auprès de Mme Fortin, à quelle hypothèse de diagnostic pensez-vous ?

____

Nommez deux (2) autres examens pouvant donner des informations supplémentaires et ainsi confirmer le diagnostic de Mme Fortin.

____

____

Situation 7

Mme Taillon, 62 ans, souffrant d'hypertension artérielle (HTA), est hospitalisée pour des problèmes intestinaux. Depuis près de deux mois, elle présente des diarrhées fréquentes avec des douleurs abdominales sous forme de crampes qui se présentent de façon intermittente. Au cours de ces deux derniers mois, Mme Taillon a perdu 4 kg. À la suite des résultats des examens effectués, on constate une carence des vitamines A, D et E, et on confirme un test au gaïac positif. Demain, Mme Taillon passera une colonoscopie.

Médication :

- Ramipril (Altace) 10 mg P.O.
- AAS (Asaphen) 80 mg P.O.
- Hydrochlorothiazide (Hydrodiuril) 12,5 mg P.O. die

Épreuves diagnostiques :

- Hb : 92 g/L (normale : 120 à 160 g/L)
- Ht : 30 % (normale : 37 à 48 %)
- RIN : 0,9 (normale : 1,0 ± 0,1)

Lors de l'investigation auprès de Mme Taillon, à quoi fait-on référence lorsque l'on parle du test au gaïac ? Quel autre nom porte ce test ?

Mme Taillon vous demande ce qu'est une colonoscopie (ou coloscopie) et de quelle façon se déroule l'examen. Expliquez brièvement.

Mis à part les signes vitaux, nommez trois (3) vérifications qu'il vous faudra effectuer en vue de la préparation à la colonoscopie.

Quelle pourrait être la principale complication à la suite de cet examen ? Pourriez-vous en décrire quelques signes ? Nommez-en deux (2).

Complication :

Signes :

Médecine-chirurgie, niveau 3

Situation 1

Récemment, Mme Carpentier, 45 ans, a reçu un diagnostic d'insuffisance rénale chronique résultant de glomérulonéphrites répétées. Les résultats des analyses sanguines de Mme Carpentier révèlent une hausse et une baisse de certains éléments.

Quelles analyses sanguines sont généralement à la hausse ou à la baisse en lien avec cette problématique ? Nommez-en cinq (5).

Analyses sanguines à la hausse	Analyses sanguines à la baisse

Quels examens, autres que les tests sanguins et d'urine, permettent de poser l'hypothèse de diagnostic d'insuffisance rénale chronique ? Nommez-en quatre (4).

Lequel de ces examens nécessite un liquide de contraste ?

Situation 2

M. Moniz est âgé de 72 ans. Il souffre d'insuffisance cardiaque. Au rapport, l'infirmière de nuit vous dit qu'il a eu une nuit agitée, ponctuée d'épisodes de dyspnée et de toux sèche non productive. À l'auscultation, on entend des crépitements à la base des deux poumons. Il y a de l'œdème à godet modéré. Le client dit avoir des nausées.

À 6 h les signes vitaux (SV) étaient :

- T°.B. : 37 °C
- P.A. : 150/100 mm Hg
- SaO_2 : 96 % AA (air ambiant)
- P : 110 batt./min irrégulier
- R : 34/min

À 9 h, M. Moniz devient de plus en plus dyspnéique. Il est très nauséeux. Sa peau est moite et légèrement cyanosée. Les SV sont :

- P.A. : 152/100 mm Hg
- SaO_2 : 88 % AA
- P : 116 batt./min irrégulier
- R : 34/min superficielle

L'oxygène (O_2) est installé par lunettes nasales à un débit de 3 L/min, et le médecin est appelé.

Examens de laboratoire demandés :

K^+, Na^+, urée, créatinine, aspartate aminotransférase (ASAT ou SGOT), alanine aminotransférase (ALAT ou SGPT) et digoxinémie.

Voici quelques résultats :

- Na^+ sérique : 135 mmol/L (normale : 136 à 145 mmol/L)
- K^+ : 3,4 mmol/L (normale : 3,5 à 5,0 mmol/L)
- Digoxinémie : 3,0 mmol/L (normale : 1,0 à 2,6 mmol/L)

Médication :

- Digoxine (Lanoxin) 0,25 mg P.O. die (9 h)
- K-Dur 10 mEq P.O. b.i.d. (9 h et 17 h)
- Furosémide (Lasix) I.V. 40 mg b.i.d. (9 h et 17 h)
- Capoten 6,25 mg P.O. t.i.d. (9 h, 17 h et 22 h)

Quelle sera votre interprétation des résultats de laboratoire obtenus ?

____

____

____

____

____

Considérant l'état de M. Moniz, quel médicament vous faudrait-il administrer en priorité ? Justifiez votre réponse.

Y a-t-il une autre décision qu'il vous faut privilégier concernant la médication ? Justifiez votre réponse.

Situation 3

M. Berteau, âgé de 49 ans, est amené à l'hôpital par son épouse. Le client souffre d'une cirrhose, est ROH (alcoolique) et présente une agitation et de la confusion. L'épouse de M. Berteau nous mentionne que son mari n'arrive plus à se concentrer pour accomplir son travail, qu'il perd beaucoup de poids et qu'il se sent fatigué. À l'examen physique, le client a le teint ictérique, présente du prurit et on constate que le signe du flot confirme l'ascite à l'abdomen. Déjà, l'astérixis a fait son apparition.

Dès son arrivée, le médecin demande une formule sanguine complète (FSC), un rapport international normalisé (RIN), un bilan hépatique et un dosage d'éthanol. Ce dernier s'avérera normal.

Des analyses sanguines ont été demandées par le médecin. Considérant l'état de M. Berteau, nommez-en quatre (4) dont le résultat risque d'être plus élevé que la norme. Justifiez votre réponse.

Selon vous, pourquoi le médecin a-t-il demandé un dosage d'éthanol sanguin ?

Quelle précaution doit-on prendre lors du prélèvement sanguin pour cette analyse sanguine ?

À la lumière des informations qui vous sont transmises, quelle complication croyez-vous que M. Berteau puisse présenter ?

Quelle autre analyse sanguine serait-il pertinent d'effectuer pour corroborer une possible complication neurologique ?

Situation 4

Mme Breton, âgée de 55 ans, est en investigation pour un diabète de novo. Au cours des derniers mois, elle a perdu 4 kg. Elle présente de la polydipsie et de la polyurie, surtout la nuit.

Voici quelques résultats :

- Glycémie à jeun : 15,0 mmol/L (normale : 3,5 à 6,0 mmol/L)
- Glycémie postprandiale : 9,0 mmol/L (normale : 4,4 à 7,0 mmol/L)
- Hb glycosylée : 24 % (normale : 6 à 7 %)

Quel autre nom donne-t-on à l'hémoglobine glycosylée ?

La cliente doit-elle être à jeun pour effectuer cette analyse sanguine ?

À quoi sert le dosage de l'hémoglobine glycosylée ?

À quel moment précis doit-on effectuer la glycémie postprandiale ?

Que peut-on déduire des résultats de Mme Breton ?

Situation 5

M. Picard, souffrant d'une cirrhose du foie, a été hospitalisé dans votre unité. À la suite de la visite de son médecin, une ponction d'ascite est prévue pour le lendemain matin. M. Picard est un peu inquiet et il vous demande de bien vouloir répondre à ses nombreuses questions.

Qu'est-ce que l'ascite ?

Quelles sont les raisons de procéder à une ponction d'ascite ? Nommez-en deux (2).

Quel sera l'enseignement à faire auprès de M. Picard au regard du déroulement de l'intervention ?

Quelles sont les principales complications possibles à la suite de cette intervention ? Nommez-en trois (3).

Situation 6

M. Biron, âgé de 53 ans, se présente à l'urgence pour cause d'angine instable. Depuis hier en soirée, il ressent un inconfort, un malaise épigastrique qu'il associe à une mauvaise digestion de son repas du soir. Enfin, il se présente pour douleurs persistantes.

Ces examens sont demandés :

- Bilan de base
- Bilan cardiaque
- Cholestérol
- Déshydrogénase lactique (LDH)
- Coagulogramme
- Électrocardiogramme (ECG) q.8 h × 2
- Dosage de troponine* q.6 h × 2

*L'intervalle requis pour le dosage de la troponine peut varier d'un établissement à l'autre.

Le médecin soupçonne un infarctus du myocarde. Outre la troponine et les CPK, CPK-MB, quelle autre analyse sanguine pourrait donner des informations supplémentaires au regard du diagnostic de M. Biron ? Justifiez votre réponse.

Selon vous, qu'est-ce qui confirmerait à l'ECG un infarctus possible ?

Précisez la différence entre les enzymes de la créatinine phosphokinase (CPK) et les isoenzymes de la créatinine phosphokinase (CPK-MB).

Pourquoi le dosage de la lactodéshydrogénase (LDH) s'avère-t-il parfois plus utile dans un cas de confirmation d'infarctus que l'augmentation des CPK ?

Expliquez en quoi un dosage de troponine est indiqué dans cette situation. Justifiez le fait de faire deux (2) fois le prélèvement pour dosage de troponine, et ce, à 6 heures d'intervalle.

Situation 7

Mme Pouliot, âgée de 53 ans, est hospitalisée pour une thrombophlébite profonde (TPP) à la jambe gauche. Au moment de votre visite, elle se plaint de douleur évaluée à 8/10. La peau de la jambe est chaude et rouge, et il y a présence d'œdème, surtout au mollet. Le signe de Homans est présent. Un protocole d'héparine par voie intraveineuse (I.V.) est commencé et certains examens ont été demandés :

- FSC, numération des plaquettes et formule leucocytaire (GB)
- RIN
- Radiographie pulmonaire
- ECG
- Doppler des membres inférieurs par ultrasonographie

Un examen sanguin essentiel a été oublié lors de la retranscription de la prescription. Quel est-il ? Justifiez son importance.

À quoi sert le doppler ?

Mme Pouliot se sent subitement plus essoufflée et se plaint d'une douleur thoracique du côté gauche.

Voici ses signes vitaux :

- P.A. : 105/60 mm Hg
- P : 120 batt./min
- R : 30/min
- SaO_2 : 92 % AA (air ambiant)

Le médecin a demandé comme analyse supplémentaire un D-dimère, et il procède à un gaz artériel.

Selon vous, pourquoi le médecin a-t-il demandé le D-dimère ?

À la lumière des symptômes présentés et au regard des analyses et des examens demandés, à quelle complication pensez-vous ?

Selon vous, quel examen permettrait de confirmer cette complication ?

PÉDIATRIE ET PÉRINATALITÉ

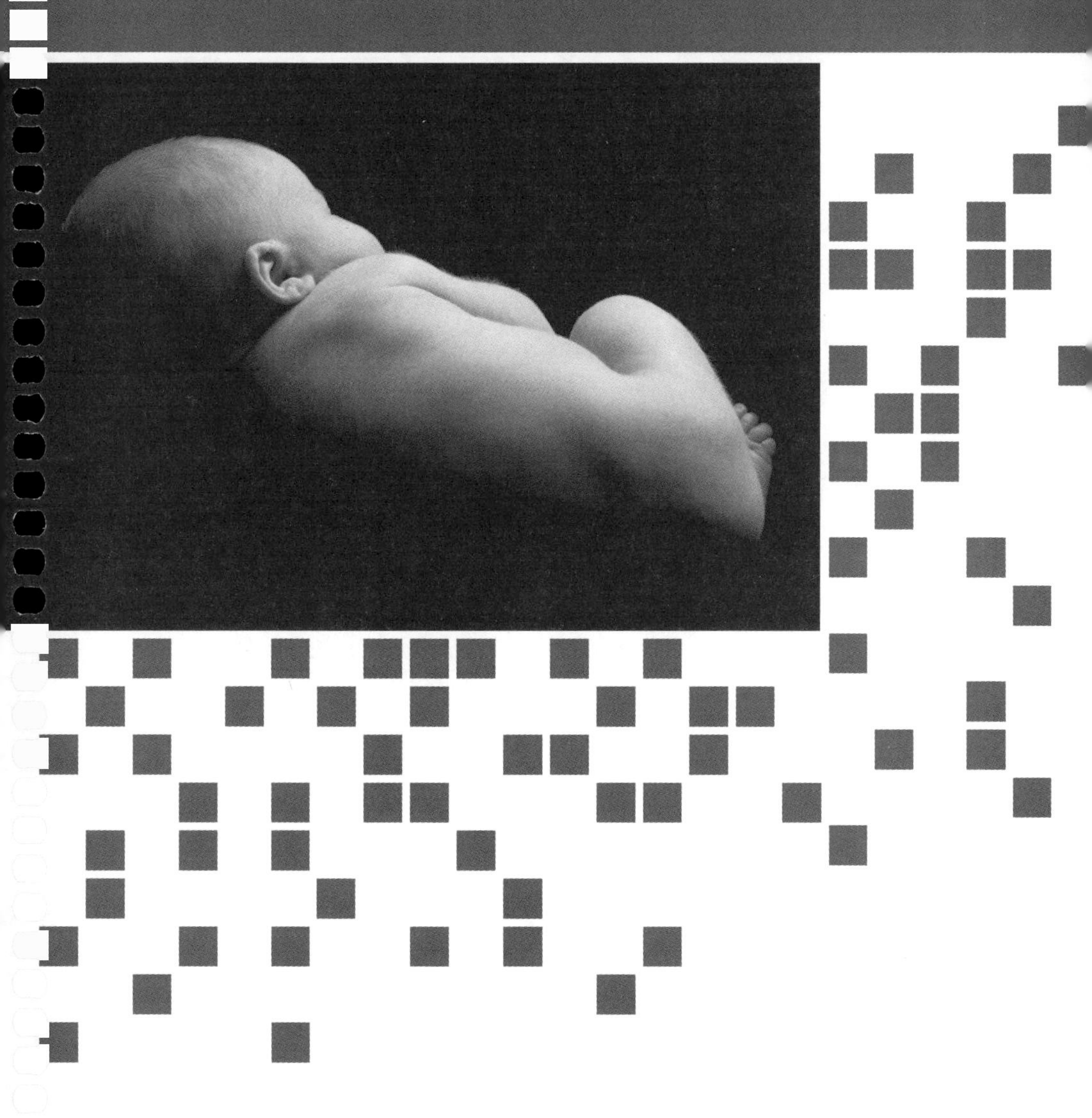

Pédiatrie

Situation 1

La petite Justine, 3 mois, est hospitalisée à l'unité de médecine pédiatrique pour plusieurs symptômes :

- Retard staturo-pondéral
- Régurgitations fréquentes
- Irritabilité lors des boires

Les médecins soupçonnent un reflux gastro-œsophagien sévère. Une pHmétrie est demandée.

Pour quelle raison les médecins ont-ils demandé une pHmétrie ?

En quoi consiste cette épreuve diagnostique ?

Quels seront les éléments d'enseignement à prodiguer aux parents relativement à la surveillance et à la procédure durant toute la durée de la pHmétrie ?

Situation 2

Alex, 2 ans, est emmené à l'urgence pédiatrique par ses parents pour des vomissements et de la diarrhée qui durent depuis plus de 24 heures. Il est somnolent et léthargique. Ses signes vitaux sont les suivants :

- P.A. : 70/30 mm Hg (normale : 80 à 110/40 à 70 mm Hg)
- P : 140 batt./min (normale : 80 à 120 batt./min)
- R : 36/min (normale : 20 à 30/min)
- T° AX. : 36,6 °C (température axillaire normale : 36,5 °C)

Quel test relevant de l'autonomie infirmière serait-il le plus pertinent d'effectuer en rapport avec les urines d'Alex ? Décrivez-le.

____

____

____

____

____

____

Que vous indiquent les résultats des signes vitaux ?

____

____

____

____

____

Les médecins vous demandent de faire un dosage sanguin des bicarbonates et un bilan électrolytique. Quelle en est la raison ?

____

____

____

____

Situation 3

Kevin, 5 mois, est un bébé de race noire. Ses parents l'emmènent à l'urgence pour des pleurs incontrôlables depuis plus de 24 heures. Il présente une température rectale de 39 °C, une diminution de la quantité de lait prise lors des boires depuis quelques jours ainsi que de la somnolence.

Voici les résultats de la formule sanguine complète (FSC) :

- Ht : 25 % (normale : 28 à 67 %)
- Hb : 69 g/L (normale : 95 à 225 g/L)
- Numération des plaquettes : 333 × 10^9/L (normale : 140 à 440 × 10^9/L)

Le reste de la FSC est normale.

À la suite de l'évaluation de votre client, quelle autre analyse sanguine faudrait-il effectuer ? Justifiez votre réponse.

Situation 4

La petite Laurie, 1 mois, est emmenée à l'urgence pédiatrique par ses parents pour une température rectale de 39 °C (normale : 37,5 °C), une diminution de la quantité de lait prise lors de ses boires et un état léthargique.

Les médecins demandent immédiatement (stat.) une ponction lombaire et un bilan septique. Que doit inclure un bilan septique ? Justifiez votre réponse.

Décrivez en quoi consiste une ponction lombaire.

Quelle sera la préparation de la cliente pour ce test ?

Quelle sera la principale surveillance infirmière à effectuer à la suite de la ponction lombaire ?

Situation 5

Megan, 4 mois, emmenée par ses parents, arrive en détresse respiratoire à l'urgence pédiatrique. Voici les données recueillies lors de la première évaluation de la cliente au triage :

- R : 70/min
- P : 160 batt./min
- SaO_2 : 89 % AA (air ambiant)
- T°.R. : 39,1 °C
- Tirage sous et sus-costal avec battement des ailes du nez (BAN)
- Cyanose péribuccale
- Sécrétions nasales +++ et ronchis à l'auscultation

Les médecins soupçonnent une bronchiolite. Un astrup (gaz capillaire) est demandé en stat. Voici les résultats :

- pH : 7,30 (normale : 7,35 à 7,45)
- PO_2 : 80 mm Hg (normale : 80 à 100 mm Hg)
- PCO_2 : 70 mm Hg (normale : 35 à 45 mm Hg)
- HCO_3 : 25 mmol/L (normale : 22 à 28 mmol/L)

Quelle sera votre interprétation des résultats de l'astrup ?

Quelles modifications des résultats de l'astrup indiqueraient une compensation par une alcalose métabolique ?

Situation 6

Maude, 15 ans, se présente à la clinique des adolescents de son CLSC. Elle est active sexuellement depuis 2 ans et elle a eu plusieurs relations sexuelles non protégées avec différents partenaires dans les derniers mois. Elle désire obtenir une ordonnance d'anovulants. À la suite de votre collecte de données, vous discutez avec le médecin qui vous demande d'effectuer un dépistage des infections transmissibles sexuellement (ITS).

Décrivez les différentes étapes de la procédure à suivre.

Une chlamydia est diagnostiquée. Quelle sera la suite de votre démarche ?

Vous contactez Maude afin de la prévenir. Quelle autre information devez-vous lui demander ?

En ce qui a trait à son traitement, quels seront les éléments d'enseignement prioritaires à lui donner ?

Périnatalité

Situation 1

Mme Lopez, enceinte de 14 semaines, se présente au centre de prélèvement. Son médecin a demandé diverses analyses.

Complétez le tableau suivant:

Analyse	But	Résultat normal
	Dépister l'anémie et vérifier les taux de globules blancs et de plaquettes.	GB: ______ Hb: ______ Ht: ______ Plaquettes: ______
	Rechercher l'hématurie, la glycosurie et la protéinurie.	Couleur : ______ Limpidité : ______ pH: ______ Densité : ______ Glucose: ______ Cétones: ______ Protéines: ______ Leucocytes: ______ Nitrites: ______
Groupe sanguin et rhésus (ABO, Rh) Recherche d'anticorps	Déterminer le groupe sanguin de la mère. Repérer les mères de Rh⁻ non sensibilisées en vue de leur administrer le ______ ______ au besoin.	A B AB O Rh⁺ ou Rh⁻ Recherche d'anticorps : ______

Recherche d'anticorps antirubéole	S'assurer de la présence d'anticorps contre la rubéole.	
Recherche de l'antigène de surface de l'hépatite B (HBsAg)	Dépistage de l'hépatite B.	
Venereal Disease Research Laboratory (VDRL)		

Situation 2

Mme Blaise, âgée de 37 ans, s'est rendue à sa première visite médicale de grossesse. Son médecin lui a parlé de divers examens qui pourraient être faits pour détecter certaines anomalies chez son fœtus.

Expliquez brièvement en quoi consistent les examens suivants :

Examen	**Brève description**
Échographie obstétricale	

Clarté nucale	
Amniocentèse	
Triple test (dosage de l'alphafœtoprotéine sanguine, de l'hormone gonadotrophine chorionique humaine (β-HCG) et de l'œstriol libre)	

Situation 3

Mme Roy, âgée de 36 ans, est enceinte de 37 semaines. Elle a été dirigée vers l'hôpital par son médecin traitant pour hypertension gravidique. Il a demandé que l'on fasse un bilan de prééclampsie et une épreuve de réactivité fœtale (*Non Stress Test* ou NST).

Les analyses demandées pour Mme Roy sont les suivantes :

- Protéines dans l'urine selon l'analyse d'urine
- Enzymes hépatiques : alanine aminotransférase (ALAT) et aspartate aminotransférase (ASAT)
- Urée
- Créatinine
- Électrolytes
- Formule sanguine complète (FSC)
- Temps de prothrombine (TP ou PT)
- Rapport international normalisé (RIN)

Indiquez les analyses qui ont un lien avec les complications possibles de la prééclampsie que le médecin souhaite dépister.

Complications possibles	Analyses associées
Stéatose hépatique (syndrome HELLP)	
Coagulation intravasculaire disséminée (CIVD)	
Insuffisance rénale aiguë	

Quels sont les critères qui permettraient de dire que le NST est « réactif » ?

____

____

____

____

____

Situation 4

Mme Legault, multipare de 28 ans, a donné naissance à un garçon il y a 12 heures. Vous recevez plusieurs rapports de laboratoire :

Rapports de Mme Legault :	Rapports de Bébé Legault-Tremblay :
• Groupe sanguin : A	• Groupe sanguin : AB
• Rh : négatif	• Rh : positif
• Test de Coombs indirect : positif	• Test de Coombs direct : négatif

Mme Legault est-elle susceptible de recevoir le WinRho ? Expliquez votre réponse.

____

____

____

____

____

Situation 5

Vous vous occupez de Mme Singh et de son nouveau-né.

Résultats d'analyses de la mère :	Résultats d'analyses du bébé :
• Groupe sanguin : B	• Groupe sanguin : O
• Rhésus : négatif	• Rhésus : positif
• Test de Coombs indirect : négatif	• Test de Coombs direct : négatif
• Anticorps de la rubéole : négatif	• Bilirubine totale sur sang de cordon : 18 mmol/L
• HBsAg : négatif	
• Strepto B : positif	
• Dépistage du VIH : négatif	
• Hb : 118 g/L	

Cochez, si cela s'applique, et précisez les interventions appropriées :

	Oui	**Non**	**Interventions appropriées**	**Remarques**
Protection contre la rubéole				Si le fœtus contracte la rubéole pendant les 12 premières semaines de grossesse, le bébé peut naître avec de nombreux problèmes. Les plus courants sont les problèmes oculaires, auditifs et cardiaques*.
Porteuse de streptocoques du groupe B				Le dépistage et la prise en charge des infections causées par des streptocoques du groupe B visent à en prévenir la transmission au bébé.
Incompatibilité Rh				Vise la prévention de la maladie hémolytique du nouveau-né.
Incompatibilité ABO				L'incompatibilité ABO se produit surtout lorsque la mère est de type O et que l'enfant est de type A ou B.

* *Société canadienne de pédiatrie.* « La rubéole pendant la grossesse », *Grossesse et bébé,* [En ligne], www.cps.ca/soinsdenosenfants/Grossesse&bebes/rubeole.htm (Page consultée le 23 novembre 2009)

Situation 6

Bébé Nguyen-Li, âgée de 36 heures, est sous photothérapie pour un ictère physiologique.

Quelle est l'analyse sanguine qui permettra le suivi de l'efficacité du traitement ?

____

Pourquoi doit-on utiliser une courbe pour interpréter le résultat de cette analyse ?

____

____

____

Tracez les repères des zones que vous pourriez utiliser pour effectuer la ponction microméthode de bébé Nguyen-Li.

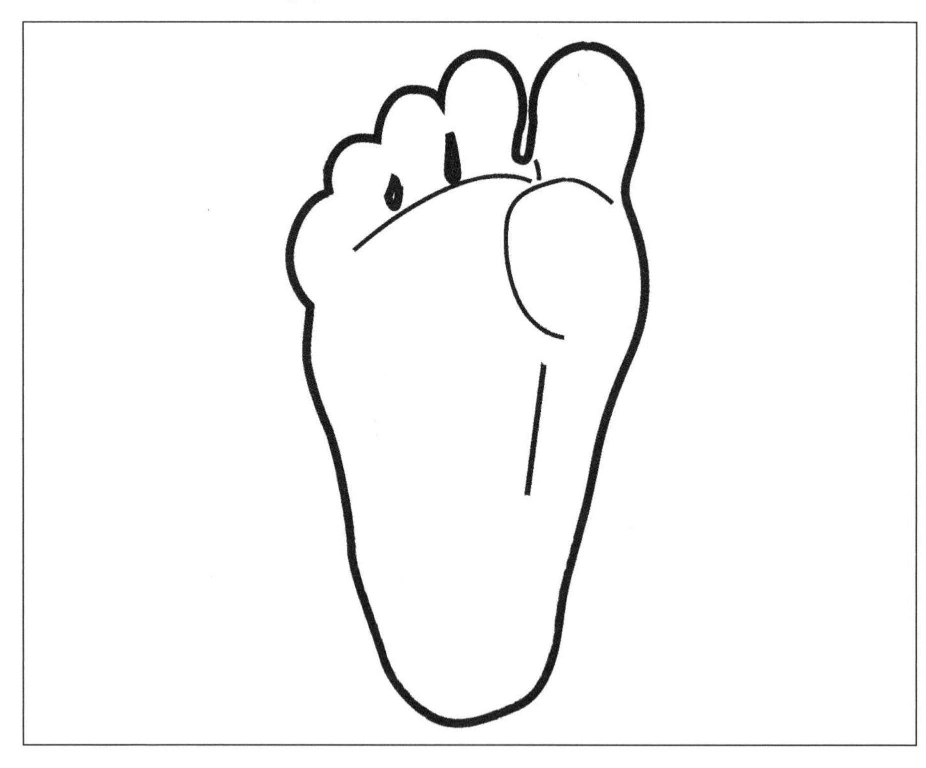

PSYCHIATRIE ET GÉRIATRIE

Psychiatrie

Situation 1

Mme Bentz, 30 ans, est admise à l'unité psychiatrique. Elle se plaint de nausées périodiques, son humeur est exaltée et elle est désinhibée. Elle reçoit du Lithium depuis plusieurs années. Son diagnostic est le suivant : troubles bipolaires.

Les tests suivants ont été prescrits :

- Urée
- Créatine
- Gonadotrophine chorionique humaine (β-HCG)
- Lithémie
- Thyrotrophine (TSH)

Qu'évalue-t-on à l'aide de ces tests ?

En quoi les résultats de ces tests pourraient-ils influencer le traitement de Mme Bentz ?

Quel est le seuil thérapeutique du Lithium ?

Situation 2

M. Tremblay, 25 ans, est admis à l'urgence psychiatrique. Le diagnostic posé est : trouble psychotique. Il reçoit des antipsychotiques typiques et atypiques. Le médecin lui prescrit les tests suivants :

- Recherche de drogues dans les urines stat.
- Glycémies et bilan lipidique cette semaine et chaque trois mois par la suite
- Pesée 1 fois par semaine
- Glucométrie die trois fois par semaine à des heures irrégulières
- Prolactinémie dans un mois

Quel est le lien entre la prolactinémie et la situation de M. Tremblay ?

Quelle est l'utilité de la recherche de drogue dans le traitement de M. Tremblay ?

Pourquoi le médecin prescrit-il de faire des glycémies, un bilan lipidique et de peser le client ?

Situation 3

M. Dufour, 56 ans, polytoxicomane et sans-abri, est admis à l'hôpital à la suite d'une intoxication à l'alcool. On observe, quelques semaines plus tard, la persistance d'hallucinations, des troubles de la mémoire ainsi qu'une désorientation dans le temps et l'espace. Les tests suivants ont été faits :

- Bilan hépatique
- Recherche de drogues dans les urines
- Alcoolémie
- Vitamine B_{12}
- Folates
- Thiamine (B_1)
- Imagerie par résonance magnétique (IRM) du cerveau

Quels sont les tests qui font partie du bilan hépatique ?

Pourquoi a-t-on évalué la fonction hépatique de M. Dufour ?

Pourquoi a-t-on fait un dosage de la vitamine B_{12}, des folates et de la thiamine (B_1) chez M. Dufour ?

Y a-t-il des données qui justifient la prescription de l'imagerie par résonance magnétique (IRM) ?

À quoi sert l'IRM du cerveau dans cette situation ?

Pourquoi est-il important de recueillir le plus vite possible l'urine destinée à une recherche de drogue ?

Situation 4

Mme Yang, 40 ans, est admise à l'hôpital psychiatrique pour désorganisation à la suite de l'arrêt de sa médication. Le médecin lui a de nouveau prescrit de l'acide valproïque 500 mg b.i.d. Hier, elle a reçu du Clopixol-Acuphase (zuclopenthixol) 100 mg par voie intramusculaire (I.M.) stat. contre l'agressivité et l'agitation. Vous soupçonnez Mme Yang de ne pas prendre sa médication.

Nommez un test qui pourrait vous révéler si Mme Yang observe son traitement et dites quel est le résultat visé pour ce test.

À la suite de l'administration du Clopixol-Accuphase, vous soupçonnez un syndrome neuroleptique malin et vous avisez le psychiatre. Celui-ci prescrit plusieurs tests sanguins, dont les créatines kinases (CK). Pourquoi le psychiatre a-t-il prescrit les CK ?

Situation 5

M. Roy se présente à la clinique de prélèvement pour sa ponction veineuse de routine. Le dossier indique que M. Roy prend de la clozapine (Clozaril) depuis 3 mois et qu'il doit être sous surveillance hématologique rigoureuse selon le réseau d'assistance et de soutien au Clozaril (RASC).

Quel est l'effet secondaire de la clozapine lié à la surveillance hématologique ?

Spécifiez quels seront les éléments à surveiller sur le plan hématologique.

Lors de sa visite à la clinique, M. Roy mentionne qu'il a cessé de fumer depuis trois semaines. L'infirmière avise immédiatement le psychiatre et celui-ci prescrit une clozapinémie. Expliquez pourquoi le psychiatre prescrit une clozapinémie pour ce client.

Gériatrie

Situation 1

Vous vous occupez d'un homme de 75 ans admis pour un délirium. Ce dernier présente une pensée désorganisée et son état cognitif change rapidement.

Les signes vitaux de votre client sont les suivants :

- P.A. : 90/60 mm Hg
- P : 92 batt./min
- R : 26/min
- T°.R. : 38,5 °C
- SpO_2 : 89 % avec lunettes nasales, 1,5 L/min

Un suppositoire d'acétaminophène lui a été administré cette nuit.

Le lendemain, vous recevez les résultats de son bilan sanguin :

Analyse d'urine :

- Couleur : paille
- Limpidité : légèrement trouble
- Leucocytes : positifs
- pH : 5,5
- Nitrites : positifs

Biochimie :

- K^+ : 3,1 (normale : 3.5 à 5.0 mEq/L)
- N_a^{++} : 130 (normale : 135 à 145 mmol/L)

FSC :

- Ht : 42 %
- Numération des globules blancs (GB) : 18 × 10^9/L (normale : 4,5 à 10,5 × 10^9/L)

En vous référant aux données de la mise en situation, nommez trois (3) facteurs prédisposant au délirium.

Situation 2

Mme Gagnon, 48 ans, est atteinte de sclérose en plaques. Elle vous mentionne qu'elle a un problème d'incontinence urinaire. Vous craignez que Mme Gagnon ait une vessie neurogène.

Quelles sont les épreuves diagnostiques que Mme Gagnon doit subir pour valider le diagnostic de vessie neurogène probable ? Citez-en quatre (4). Quelle est la principale complication ?

Épreuves diagnostiques :	**Complication :**

Situation 3

Vous êtes infirmière à l'urgence et Mme Gohier, 70 ans, est hospitalisée pour une fracture à la hanche gauche. Elle est inquiète et elle veut connaître les examens qu'elle doit passer avant son opération. Le médecin lui parle des étapes de l'opération et du fait que sa fracture est possiblement causée par de l'ostéopénie ou de l'ostéoporose.

Nommez deux (2) examens paracliniques que Mme Gohier devra passer afin d'écarter la possibilité d'ostéopénie et de métastases osseuses.

Situation 4

Vous êtes infirmière à la clinique d'otorhinolaryngologie (ORL). M. Savard, 69 ans, atteint de surdité moyenne accompagnée d'acouphènes, consulte son otorhinolaryngologiste puisque, depuis deux semaines, il souffre de vertiges, de perte d'équilibre et de céphalées. Son médecin suspecte la maladie de Ménière et lui demande de passer une électronystagmographie (ENG).

Quelles sont les informations pré-électronystagmographie (ENG) que vous devrez transmettre à M. Savard ? Énumérez au moins cinq (5) éléments.

Situation 5

Vous êtes infirmière à la clinique de gastroentérologie. M. Pierre, 74 ans, atteint de Parkinson, se présente accompagné de son épouse pour passer une fibroscopie œsophago-gastro-duodénoscopie (OGD) à la suite de ses problèmes de déglutition.

Nommez cinq (5) interventions infirmières qui devront être effectuées lors de la surveillance post-œsophago-gastro-duodénoscopie (OGD) de ce client.

Notes